Carry Slee

Morgen mag ik in het diepe...

Met tekeningen van Dagmar Stam

Voor Merijn

Met dank aan zwembad De Beeck in Bergen
(N.H.), zwembad Geestmerend in Warmenhuizen
en de kinderen van de Olthoffschool in
Krabbendam

Het liedje 'Zwemmen... zwemmen spetter de spat'
is afkomstig uit *Liedjes uit Kleutertje luister*
van Herman Broekhuizen, uitgegeven door
De Toorts, Haarlem

www.carryslee.nl

Eerste druk 1989
Zevenentwintigste druk 2008

ISBN 978 90 499 2287 0
NUR 281

Carry Slee is een imprint van Foreign Media Books BV,
onderdeel van Foreign Media Group

Eindelijk...

Elke dag moet juf Arianne zeggen: 'Iris en Michiel, opruimen, de bel is al gegaan.' Maar vandaag staan ze als eersten bij de deur. Zodra de bel rinkelt, stormen ze de klas uit.
'Zet hem op vanmiddag!' roept juf hen na.
Iris en Michiel horen het al niet meer. Die rennen zo hard ze kunnen het schoolplein over. Ze sjezen de hoek om, zó hard dat ze bijna tegen de bakker botsen, die net met een mand vol broden de winkel uitstapt.
'Hé, kalm aan, jullie!' roept de bakker.
'Vanmiddag begint het!' schreeuwen Iris en Michiel en ze hollen keihard door.
'Succes, hoor!' roept de bakker. Lachend kijkt hij de tweeling na.
Als ze langs het huis van opa Vink rennen moeten ze wel stoppen. Want opa Vink staat midden op de stoep met zijn armen wijd en met in iedere hand een appel.
'Halt!' zegt hij. 'Dachten jullie soms dat ik het vergeten was? Kijk eens, voor allebei een appel. Want van zwemmen krijg je honger, hoor!'
'Dank u wel!' zeggen Iris en Michiel. Met de appel in hun hand vliegen ze hun eigen tuin in.
Als mamma het maar niet vergeten is...
'Mam!' gillen ze. Verrast kijken ze naar de gedekte tafel. Mamma heeft op elk bord een krentenbol gelegd.

'Omdat het vandaag een speciale dag is,' zegt
mamma.
'Mmm...' zeggen Iris en Michiel. Ze proppen de
hele krentenbol tegelijk in hun mond.
'Whik when whal weklaarww...' zegt Michiel
met volle mond.
'Whik whook whbijnaww...' zegt Iris.
'Niet met volle mond praten, jullie!' zegt mamma. 'De stukken krentenbol vliegen door de ka-
mer!'
Gauw slikt de tweeling de krentenbol door.
'Klaar!' zegt Iris.
'Gaan we al?' vraagt Michiel.
'Pakken jullie je zwemspullen maar,' zegt mamma lachend. 'Dan gaan we.'
In een wip toveren Iris en Michiel hun badtas
te voorschijn. Die hebben ze gisteravond al
klaargezet. Met hun badtas op de rug hollen ze
naar de auto.

Onderweg in de auto ratelt Iris aan één stuk door over wat ze allemaal aan de badjuf gaat vragen.

'Ik vraag of ik meteen in het diepe mag. Want ik kan al een beetje zwemmen. En ik durf ook al van de hoge duikplank. En ik wil een salto leren, een driedubbele, enne...'

Michiel zegt niet veel. Hoe dichter ze bij het zwembad komen, hoe stiller hij wordt. Opeens weet hij niet meer of zwemles wel zo leuk is. Hij vindt het reuze fijn om in het water te spelen, zoals op het strand, of samen met pappa in het pierebadje. Maar zwemles is wat anders. En hij kent die badjuf niet eens. Misschien is het wel geen juf, maar een hartstikke strenge badmeester die hem zomaar in het diepe gooit als hij niet durft. Brrrr...

'Ziezo, we zijn er,' zegt mamma vrolijk. Ze parkeert de auto vlak voor het zwembad.

Met bange ogen kijkt Michiel naar de stroom

kinderen die met hun vaders en moeders het
zwembad ingaan.
'Hé, daar heb je Wouter van gymnastiek!' roept
Michiel plotseling. Meteen is hij niet meer bang.
Hij springt uit de auto en rent achter Wouter
aan het zwembad binnen.
Bij het loket koopt mamma twee leskaarten.
Een voor Michiel en een voor Iris.
De badmeester schrijft hun naam erop. 'Hoe
oud zijn Iris en Michiel?' vraagt hij.
'Vijf jaar,' zegt mamma. 'Het is een tweeling.' En
ze wijst naar Iris en Michiel die met hun badtas
op hun hoofd achter Wouter aan de kleedcabine
inwaggelen.

De eerste zwemles

De kleedcabine is propvol vaders en moeders
en kinderen. Tegen de muren staan banken en
daarboven hangen haken waaraan de kinderen
hun kleren kunnen ophangen.
'Mij hoef je niet te helpen!' roept Iris als ze
mamma ziet. 'Ik kan me wel zelf uitkleden.'
In één beweging trekt ze haar jack, haar trui en
haar hemd over haar hoofd heen. Lachend smijt
ze het hele pakket op de bank en schopt haar
schoenen uit.
Naast Iris staat een meisje dat haar hemdje en
broekje keurig op een stapeltje legt. Haar jas en

rok hangt ze netjes op een hanger en haar sokjes
stopt ze in haar schoenen.
'Ben je al klaar?' roept Michiel verschrikt naar
Iris, die al bezig is haar badpak aan te trekken.
Van schrik geeft hij zo'n harde ruk aan zijn veter
dat die in plaats van los in de knoop schiet.
'Rotschoen!' roept Michiel boos.
'Wacht maar,' zegt Wouter. 'Krachtpatser Wou-
ter komt er al aan.' Hij pakt Michiels schoen.
Hij rukt en rukt en... de schoen schiet los en
Wouter kukelt met schoen en al achterover.
Triomfantelijk laat hij zijn spierballen zien.
De moeder van Wouter schudt het hoofd. 'Meneer de Krachtpatser,' zegt ze, 'zou u zich niet
eens gaan uitkleden? Zo meteen komt de badmeester en dan bent u nog niet klaar.'
Wouter springt op de bank. Vliegensvlug maakt
hij zijn broek los en dan roept hij: 'Opgelet allemaal! Hier komt de rode-apenbillenshow! Ik heb
rode apenbillen!' Hij telt tot drie en dan trekt hij
zijn broek naar beneden. Er komt een knalrode
zwembroek te voorschijn. Iedereen begint te
lachen.

Als alle kinderen zijn uitgekleed komt de badmeester binnen. Hij vertelt dat iedereen eerst
onder de douche moet voordat-ie in het zwembad mag. En dat de vaders en moeders boven
kunnen kijken.
Meteen begint een klein meisje te huilen. 'Ikke...
ik... ik wil niet dat je weggaat...' snikt ze. Ze houdt
haar moeder bij een punt van haar jurk vast.

'Stil maar,' zegt de badmeester. 'Jij bent ook nog wel een kleintje. Voor één keertje mag jouw moeder beneden op de bank zitten. Maar,' zegt hij tegen de mevrouw, 'schoenen en sokken uit!'
'Dat wil ik ook!' roept een jongetje half huilend. 'Jij moet ook op de bank zitten, pappa!'
'Goed dan,' zegt de vader van het jongetje. En hij trekt zijn schoenen uit.
'Ooo!' roept Iris. 'U hebt een gat in uw sok!'
Lachend wijst ze naar de grote teen van de meneer die uit de sok piept.
'Hahaha...!' lachen de kinderen.
De meneer wordt knalrood. De badmeester ziet het. Hij zet gauw de douches aan. En dan rennen de kinderen naar de douches.

Wat gek, Iris dacht dat zij de enigen in het zwembad waren. Maar dat is helemaal niet waar. Als ze de douche uitstapt, ziet ze opeens dat er nog veel meer kinderen in het zwembad zijn. Langs de zijkant van het diepe bad zwem-

men kinderen achter elkaar op hun rug, terwijl een badjuffrouw met een haak in haar hand over de rand van het zwembad met hen meeloopt. En helemaal achter in het diepe bad zijn kinderen aan het duiken, onder water zwemmen en crawlen.

Iris staat zo ingespannen naar het duiken te kijken dat ze helemaal vergeet op haar eigen groepje te letten. Pas als Michiel haar roept, rent ze gauw naar het zwemmersbankje bij het ondiepe bad, waar de kinderen in een kringetje om de badmeester zitten.

'Ik heet meester Kees,' zegt de badmeester.

'Ikke Iris!' gilt Iris.

'En ik Wouter en ik...'

Alle kinderen beginnen door elkaar hun naam te roepen. Meester Kees houdt zijn handen op zijn oren.

'Als jullie allemaal door elkaar roepen, kan ik jullie niet verstaan,' zegt hij. 'Vertellen jullie nou eens om de beurt hoe jullie heten, dan schrijf ik jullie namen op.' Hij haalt een schrift en een balpen te voorschijn.

Eén voor één noemen de kinderen hun naam: Paul, Sanne, Wouter, Michiel, Iris, Mieke, Bas, Marja, Pieter en Daan. En meester Kees schrijft alle namen op.

'Dat durf ik ook!' zegt Iris en ze wijst naar een kindje dat in het diepe springt.

'En ik durf al onder water te zwemmen,' zegt Wouter opschepperig. 'Wel honderd meter of duizend!'

'Dat kan nooit!' schreeuwt Iris. 'Dan ben je allang gestikt!'
'Nee hoor,' zegt Wouter, 'met een duikerpak niet,
want daar zit lucht in!'
'Ik hoor het al,' zegt meester Kees. 'Jullie hebben
er echt zin in.'
De kinderen willen al naar het water hollen.
Maar meester Kees roept hen terug.
'Eerst krijgen jullie allemaal een kurkje om. Dat
helpt jullie bij het leren zwemmen.'
Hij pakt een kurkje en knoopt het om Sannes
middel, zodat iedereen kan zien hoe het kurkje
om moet.

'En dan ga ik jullie nu vertellen wat we gaan
doen. Ik wil dat jullie geen kinderen zijn, maar
reuzen. En dat jullie straks met heel grote reu-

zenstappen door het water lopen. Helemaal tot
de overkant van het bad en dan weer terug.'
Wouter en Iris hollen luid loeiend het water in.
Ze lijken wel twee brandweerauto's in plaats
van reuzen.
'Zetten jullie die sirenes maar af,' zegt meester
Kees. 'Reuzen houden niet van lawaai!'
Met heel grote stappen lopen de kinderen door
het water. Wat een gek gevoel is dat! Het lijkt
wel of ze door rul zand lopen, zo zwaar zijn hun
benen. En af en toe vallen ze ook om.
Als de kinderen uit het water komen vraagt
meester Kees: 'Wie van jullie weet hoe een dolfijn doet?'
'Ikke!' roept Wouter. Hij duikt in het water,
komt steeds boven en gaat dan weer onder. Met
bange ogen ziet Michiel hoe Wouters hoofd onder water verdwijnt.
'Goed zo, Wouter, kom er maar uit,' zegt meester Kees. 'Nou zijn jullie geen reuzen meer, maar
dolfijnen. Elke keer als jullie boven water zijn
nemen jullie een hap lucht. En elke keer als
jullie onder water zijn blazen jullie de lucht uit,
begrepen?'

'Ik wil geen dolfijn zijn,' zegt Michiel. 'Ik ben wel een hondje.'
En dat mag gelukkig ook van meester Kees.
'Nu hebben de dolfijnen honger en de hond ook. Ze willen een gele ring.' Meester Kees wijst op de bodem van het zwembad. Daar liggen gekleurde ringen. Die moeten de dolfijnen oppakken. Michiel doet zijn hoofd onder water, maar hij houdt zijn ogen dicht. Daardoor vist hij geen gele, maar een rode ring op. Gelukkig is hij niet de enige. Pieter heeft een groene ring en Sanne een blauwe. Maar als ze het opnieuw moeten doen, durven ze wel te kijken.

Na een tijdje komt Paul huilend uit het water. 'Die dolfijn daar heeft me in mijn bil gebeten...' snikt hij. Hij wijst naar Wouter.
'Wouter, kom jij eens hier!' roept meester Kees. En als Wouter voor hem staat vraagt hij: 'Hoe kan dat nou, dolfijnen zijn heel lieve beesten. Die bijten niet in billen!'
'Ik was geen dolfijn, meester,' zegt Wouter. 'Ik was een heel gevaarlijke krokodil!'

13

'Pas maar op dat ík geen gevaarlijke krokodil word,' zegt meester Kees. 'En nou vort, het water in en niet meer bijten, hoor!' En hij geeft Wouter een tikje tegen zijn bil.
'Kom maar,' zegt meester Kees tegen Paul. Hij trekt zijn badjas uit en geeft Paul een hand.
'Wat gaan we doen, meester?' vraagt Iris, als meester Kees en Paul in het water komen.
'Jan Huigen in de ton,' zegt meester Kees.
'Leuk!' roepen de kinderen en ze maken een kring in het water, lopen rond en beginnen te zingen:

'Jan Huigen in de ton
met een hoepeltje erom
Jan Huigen... Jan Huigen...
en de ton die viel in duigen.'

'Wat is dat nou?' vraagt meester Kees. Verbaasd kijkt hij de kring rond. 'Jullie zingen zelf dat de ton in duigen valt, maar ik zie er niks van.'
'Ik snap het al,' zegt Iris. 'Bij duigen moet je elkaar loslaten.'
En daar gaan ze weer: Jan Huigen in de ton...
Nu laten ze elkaar aan het eind wel los en... alle kinderen duikelen achterover in het water.
Hoestend en proestend komen ze weer naar boven. 'Ik heb water in mijn neus! Ik in mijn oor...' jammeren ze.
'Nog een keer!' roept Wouter. 'Ik wil het nog een keer doen.'
Meester Kees kijkt op de klok die in het zwem-

14

bad hangt. 'Het is tijd,' zegt hij, 'jullie mogen nog even spelen.'

'Spelen...?' roept Iris verbaasd. 'En we hebben al de hele tijd gespeeld. Ik heb nog geeneens in het diepe gezwommen!' Ze rent naar het diepe bad en gaat op de rand staan. Zal ze erin springen? Ze durft het best. Ene... tweeë...

Ineens voelt ze de sterke armen van meester Kees om zich heen. Hij tilt haar op en zet haar met een zwiepzwaai in het ondiepe.

'Hier blijven jij!' zegt hij streng.

'Nou zeg...' moppert Iris, 'waarom mag ik nou niet in het diepe?' Ze klimt uit het water en gaat met een boos gezicht op de rand van het zwembad zitten. Totdat Wouter op een rubber vlot voorbij komt varen.

'Iris, instappen!' roept hij. 'We gaan helemaal naar Engeland.'

'Joepie!' roept Iris en ze springt op het vlot en laat zich heerlijk door het ondiepe drijven.

Joepie, maskers maken!

Als alle kinderen in de klas zijn, duwt juf Arianne de deur dicht.
'Ziezo,' zegt ze, 'komen jullie maar allemaal in de kring zitten. Dan kunnen Iris en Michiel ons vertellen hoe het gisteren op zwemles is gegaan.'
Kringgesprek, leuk... Vlug slepen de kinderen hun stoeltje naar de kring.
'Mag ik beginnen, juf?' vraagt Iris.
'Barst maar los, Iris,' zegt juf lachend.
'Nou eh...' begint Iris stoer, 'zwemmen is niks moeilijk. Alleen een beetje spelletjes doen enzo. Enne... ik denk dat we over een paar keer al mogen afzwemmen. Twee keer of zo, hè Michiel?'
Michiel knikt braaf. Maar de andere kinderen beginnen te joelen. 'Hahaha... dat kan nooit, hahaha!'
'Stilte!' roept juf Arianne boven het lawaai uit. 'Straks zijn jullie aan de beurt om iets te zeggen.' En ze vraagt Michiel: 'Wat voor spelletjes hebben jullie gedaan?'
Michiel denkt na. 'Reus enne... dolfijntje... enne Jan Huigen in de zon...'
Iedereen begint te lachen.
'In de ton zal je bedoelen,' zegt Iris. 'Nou, dat was hartstikke leuk. Toen duikelden we allemaal kopje-onder...'
'Nou, ik kreeg wel mooi water in mijn neus,' zegt

16

Michiel. 'Als je dat soms leuk noemt... dat is
hartstikke rottig, hoor!'
'Is het voor de rest wel goed gegaan?' vraagt juf.
Michiel knikt.
'Mooi zo,' zegt juf. Ze kijkt de kring rond. 'Jeroen, hoe is het eigenlijk met jouw zwemles?'
vraagt ze.
'Ik mag al in het diepe, juf,' zegt Jeroen trots. 'Ik
kan al een hele baan los zwemmen en op mijn
rug drijven.'
'En jij, Tim?' vraagt juf.
'Ik durf al in het diepe te springen, juf. Eerst
vond ik het eng. Toen ging ik steeds van het
trapje af. Maar nou durf ik het.'
'Ik ben helemaal niet meer bang onder water,'
zegt Mieke. 'Ik ben al door een hoepel gezwommen. Ik haal gewoon adem onder water.'

'Dat kan nooit!' roept Iris. 'Mensen kunnen niet onder water ademen. Alleen vissen kunnen dat!'
Als iedereen is uitverteld zegt juf: 'Omdat er zoveel kinderen uit deze klas op zwemles zitten, ga ik vandaag een paar zwemliedjes met jullie zingen.'
Met een stralend gezicht kijken de kinderen naar juf, die haar gitaar te voorschijn haalt. Ze schuiven hun stoeltje gezellig dicht tegen elkaar aan.
Zachtjes begint juf te spelen. De kinderen herkennen het wijsje meteen. Vrolijk zingen ze mee:

'Alle eendjes zwemmen in het water falderalderiere...
falderalderare...
alle eendjes zwemmen in het water
fal, fal, falderaldera...'

'Wie weet nog een zwemliedje?' vraagt juf.
Michiel steekt zijn vinger op. 'Zeg Roodkapje, waar ga je henen,' zegt hij.
Iedereen begint te lachen.
'Zeg Roodkapje, waar ga je henen, dat gaat toch niet over zwemmen, Michiel?' zegt juf.
Michiel wordt knalrood. Zachtjes zegt hij: 'Dat zingt u altijd zo mooi, juf.'
'Dat is lief van je, Michiel. Toch gaan we het nu niet zingen, want het gaat niet over zwemmen. Luister,' zegt juf dan. 'Als niemand meer een liedje over zwemmen weet, zal ik jullie van-

daag een nieuw zwemliedje leren.'
'Hoi!' roepen de kinderen. 'Een nieuw liedje!'
'Ssst...' zegt juf. Ze begint te spelen en dan zingt
ze:

'Zwemmen... zwemmen spetter de spat
Vind jij het ook zo fijn in bad?
Druppeltjes hier en druppeltjes daar
Op mijn neus en op mijn haar.'

Een paar keer zingt juf het liedje voor. Daarna
zingen de kinderen zachtjes mee. Net zolang tot
ze het nieuwe liedje al een beetje kennen. Dan
bergt juf haar gitaar weer op.
'Ziezo,' zegt ze geheimzinnig. 'Vandaag gaan we
iets doen... Het heeft met zwemmen te maken...'
'Een verrassing!' gillen de kinderen door elkaar.
Met grote pretogen kijkt juf de kring rond.
'Zeg het nou!' roept Michiel.
'Van verrassingen word ik altijd
hartstikke zenuwpiemelig en
dan plas ik in mijn broek!'
'Ga maar gauw naar de wc,' zegt
juf, 'ik wacht wel even op je.'
Met zijn hand op zijn broek rent
Michiel de klas uit.
Zodra hij weer in de kring zit,
zegt juf: 'Iedereen mag een mas-
ker maken van een dier dat kan
zwemmen.'
'Joepie, maskers maken!' roepen
de kinderen blij.

19

Terwijl de kinderen druk bezig zijn met potjes verf, plaksel, karton, krijtjes en lapjes op de tafeltjes te leggen, knipt juf voor elk kind een masker.

Juf heeft al zeven krokodillen geknipt, vijf nijlpaarden, vier vissen, drie dolfijnen, twee zwanen, drie walvissen en vijf eenden. Ze moet alleen het masker van Mieke nog knippen.

'Weet je het al?' vraagt juf als ze bij Miekes tafeltje staat.

'Ja, juf,' zegt Mieke. Met een stralend gezicht fluistert ze iets in jufs oor. Juf knipt het masker. 'Leuk bedacht, hoor,' zegt ze als ze klaar is. 'Je bent de enige.'

'Wat maak je dan?' roept Iris. Nieuwsgierig stuift ze naar Miekes tafeltje.

Mieke houdt gauw allebei haar handen boven haar masker. 'Je mag het niet zien,' zegt ze. 'Anders aap je me na.'

'Ik denk dat ik het al weet,' probeert Iris erach-

ter te komen. 'Een... eh... een zeehondje...'
'Mispoes!' zegt Mieke. 'Je raadt het toch nooit.'
Nu worden de anderen ook nieuwsgierig. Ze
gaan om Miekes tafeltje staan.
'Ga weg, jullie!' roept Mieke. 'Ik zeg het toch
niet!' Ze buigt helemaal over haar masker heen.
'Bemoeien jullie je nou maar met jullie eigen
werk,' zegt juf. 'Zo meteen zien jullie vanzelf
wat Mieke voor masker gemaakt heeft. Want
als de maskers goed gelukt zijn, mogen jullie
een optocht houden.'
Juf heeft het woord *optocht* nog niet uitgespro-
ken of zoeffff... de kinderen vliegen naar hun
plaats om hun masker af te maken.

Als alle kinderen hun masker hebben opgezet,
trekken ze in optocht om de school heen. Alle
mensen blijven staan kijken, zo leuk ziet het
eruit.
Voorop gaan de walvissen, daarachter komen
de dolfijnen, de eenden, de krokodillen, de nijlpaarden, de vissen en de zwanen. En helemaal
achteraan... springt kikkertje Mieke.
Met hun armen maken de dieren echte zwem-
bewegingen. En alle dieren, hoe lief of gevaarlijk
ze er ook uitzien, zingen vrolijk het nieuwe
zwemlied dat ze die morgen hebben geleerd:

'Zwemmen... zwemmen spetter de spat
Vind jij het ook zo fijn in bad?
Druppeltjes hier en druppeltjes daar
Op mijn neus en op mijn haar.'

21

Pop Loesje en beer hebben zwemles

Het is zondagmorgen. Michiel speelt schooltje.
Hij heeft letters op het schoolbord geschreven
die beer moet lezen.
Heel zachtjes gaat dan de deur van zijn ka-
mertje op een kier open.
Iris steekt haar hoofd om de deur. 'Mag pop
Loesje bij beer spelen?' vraagt ze.
'Nee, dat kan niet,' zegt Michiel. 'Beer zit op
school. Hij moet letters leren.'
'Nou, dan mag beer ook niet mee naar het
zwembad,' zegt Iris. 'Pop Loesje krijgt straks
zwemles.'
'Krijgt pop Loesje zwemles... Wat leuk! Maar
dan wil ik dat beer ook leert zwemmen. Zullen
we doen dat de school uitgaat?' zegt hij gauw.
'Dan kunnen ze samen naar het zwembad.'
'We laten het bad vollopen,' zegt Iris, 'zodat ze
echt kunnen zwemmen.'
'Jaaaa!' roept Michiel.
'Sssssst,' zegt Iris, 'anders worden pappa en
mamma wakker.'
Voorzichtig doet ze de deur open en dan sluipen
ze naar de badkamer. Eerst kleden ze beer en
pop Loesje uit. Daarna doet Iris de stop in het
afvoergat van de badkuip, zodat het water niet
weg kan lopen. En dan draait ze de kraan open.
'Niet te vol!' zegt Michiel bezorgd. 'Beer moet
wel kunnen staan, anders durft hij er niet in.'

Iris zet pop Loesje in het water en draait de kraan dicht.

'Jeempie,' zegt Michiel, 'we hebben geen plankjes. Zonder plankjes kunnen ze nooit leren zwemmen.'

Iris denkt na. 'De broodplank!' zegt ze. 'Ik haal hem wel even van beneden.'

Voorzichtig stapt ze de badkamer uit en sluipt de trap af.

Als ze halverwege de trap is, roept pappa vanuit de slaapkamer: 'Iris en Michiel, wat doen jullie?'

'Niks. Spelen,' zegt Iris.

'Doen jullie wel een beetje zachtjes dan,' zegt pappa. 'Het is zondag. Mamma en ik willen nog even uitslapen.'

'Goed, pap,' zegt Iris. Op haar tenen loopt ze naar de keuken. Stilletjes doet ze de keukenkast open. Ze haalt de broodplank en de vleesplank eruit en sluipt de trap weer op.

'Ik mag eerst zwemjuf zijn,' zegt Iris als ze weer in de badkamer is, 'want ik heb het bedacht.'
'Goed dan,' zegt Michiel en hij zet beer naast pop Loesje in de badkamer op de grond.
Iris gaat bij hen zitten. 'Luister goed,' zegt ze, 'vandaag gaan we onder water kijken. Ik wil dat jullie elkaar een hand geven, kopje-onder gaan en dan kijken jullie onder water naar elkaar, begrepen?' Ze zet pop Loesje en beer op hun billen op de bodem van het bad. Een tijdje laat ze hen zo zitten en dan haalt ze hen omhoog. Beer houdt ze in haar ene hand vast en pop Loesje in haar andere hand.
'Hoe ging het?' vraagt Iris aan pop Loesje.
'Beer keek helemaal niet,' zegt pop Loesje.
'Welles, liegbeest!' zegt beer boos. 'Ik keek wel, maar jij zag het niet. Omdat je zelf je ogen dichthield.'
'Nietes!' zegt pop Loesje en ze geeft beer een klap.
'Stomme pop!' schreeuwt beer en hij trekt aan het haar van pop Loesje.
'Slappe puddingbeer!' schreeuwt pop Loesje en ze krabt met haar nagels over de neus van beer. Vechtend rollen ze uit Iris' handen en plonzen midden in het zwembad. Hoestend en proestend komen ze weer boven.
'Water in mijn neus...' huilt pop Loesje.
'Ik heb water in mijn oog...' huilt beer.
'Eigen schuld,' zegt de badjuf streng. 'Jullie zijn hier niet gekomen om ruzie te maken. Jullie zijn hier gekomen om te leren zwemmen. Nou

24

gaan jullie het nog eens proberen, maar dan
zonder ruzie, begrepen?' En ze zet pop Loesje
en beer weer op de bodem van de badkuip.
'En?' vraagt de badjuf als ze boven komen. 'Wat
zag je, beer?'
'Pop Loesje, juf,' zegt beer. 'Ze zwaaide naar
me. En ze had hartstikke haar ogen open.'
'En jij, pop Loesje, wat zag jij?'
'Ik zag beer, juf, en hij had zijn ogen open.
Want hij keek heel verliefderig naar me.'
'Mooi zo,' zegt de zwemjuf. 'Nu moeten jullie door
het gat zwemmen. Ik zoek een gat... Aha, ik heb
al een gat gevonden.' En Iris bijt in Michiels bil.
'Dommerd,' lacht Michiel. 'Ze kunnen toch niet
door mijn bil heen zwemmen...'
Iris haalt een vuilniszak van beneden en knipt
er een gat in. Daarna laat ze het plastic in het
water zakken. 'Beer durfde het niet,' zegt Iris.
'Want jij durfde het eerst ook niet.'
'Maar later wel,' zegt Michiel.
'Goed dan.' En Iris duwt pop Loesje en beer om
de beurt door het gat.
'Ik zal jullie leren hoe jullie met je benen en je
armen moeten doen als je zwemt,' zegt badmeester Michiel. Hij legt beer en Loesje op hun buik
in het water met hun handen op de bodem. Eerst
pakt hij het been van beer vast. Voorzichtig
buigt hij het. 'Kikkertje-wijd-sluit,' zegt hij. Hij
buigt een paar keer achter elkaar het been. 'Dit
heet kikkertje. En dan wijd en sluit. Kikkertje-
wijd-sluit. Goed zo,' zegt de badmeester. 'Nou
maak je mooie kikkers! Oefen het nu nog maar

25

een paar keer zelf.' Hij laat beer los en pakt dan de arm van pop Loesje. Hij wil de arm van pop Loesje buigen, maar dat gaat niet.

'Je moet je arm buigen!' zegt de badmeester en hij geeft een keiharde ruk aan de arm van pop Loesje en dan... schiet de arm van pop Loesje eruit.

'Stommerd!' roept Iris boos. 'Je bent veel te wild!' Ze grist pop Loesje en de arm uit Michiels handen en probeert de arm er weer in te zetten. Dat lukt niet.

'Je hebt haar stukgemaakt,' zegt Iris.

'Helemaal niet,' zegt Michiel. 'Pappa kan haar heus wel weer maken.'

Samen lopen ze naar de slaapkamer van hun vader en moeder.

'Pappa,' vraagt Iris met een zielig stemmetje, 'wil je pop Loesjes arm erin doen?'

Vader kreunt en draait zich nog eens lekker om. Iris tikt op haar vaders wang. 'Pap, wil jij even pop Loesjes arm erin doen?'

Pappa doet zijn ogen open en gaapt. 'Moet dat nu onmiddellijk?' vraagt hij. 'Ik lig net zo lekker te slapen.'

'Ja, het moet nu,' zegt Iris. 'Anders kunnen we niet verder spelen.'

'Nou, geef op dan maar,' zegt pappa. Liggend pakt hij de pop. 'Even kijken hoe het zit,' zegt hij gapend en hij houdt de pop bij zijn oog en tuurt in het gat.

En dan... Blub. Een golf water plenst over pappa's gezicht.

'Gatverdamme!' schreeuwt pappa. Van schrik
springt hij uit bed. Met een druipend pyjamajasje staat hij naast het bed.
Mamma schiet in de lach. Het is ook zo'n gek gezicht, een slaperige pappa met een kleddernat
hoofd.
'Leuk, hoor,' bromt pappa, 'lach jij maar. Ik ben
meteen klaarwakker.'
'Dat komt goed uit,' zegt mamma, 'dan kun je
mooi de tafel dekken.'
'Goed, schat,' zegt pappa. Dan draait hij de arm
in de pop. Voordat hij de pop teruggeeft aan Iris,
schudt hij pop Loesje uit boven mamma's hoofd.
'Wèèèè!' schreeuwt mamma. 'Wacht maar, ik
krijg jou nog wel!' En ze springt uit bed en rent
achter pappa aan.

27

In het diepe springen

Het gaat heel goed met de zwemles van Iris en
Michiel. Ze kunnen ook al drijven. En Michiel is
niet meer bang onder water. Telkens als de
meester het zeil ophoudt, zwemt hij door het gat.
En daarom mogen ze vandaag met het hele
ploegje in het diepe bad zwemmen.
Ongeduldig staan Iris en Michiel buiten voor het
zwembad te wachten. Waar blijft Wouter nou?
'Ik ga me vast omkleden, hoor,' zegt Iris. 'Zo
meteen is-ie ziek. En dan staan wij hier maar
te wachten.'
'Zielig voor Wouter,' zegt Michiel. 'Net nu we in
het diepe mogen.' Hij loopt achter Iris aan naar
binnen.
Telkens als de deur van de kleedcabine open-
gaat, denken Iris en Michiel dat Wouter binnenkomt. Maar dat is niet zo. Als meester Kees
de douches aanzet, is Wouter er nog steeds niet.
'Niks aan te doen, jongens, dat Wouter er niet
is,' zegt meester Kees. 'Wij gaan vandaag toch
naar het diepe bad.'
'Mag ik dan ook van de hoge duikplank?' vraagt
Iris.
'Ja,' zegt meester Kees. 'Wie dat durft mag van
de hoge plank!'
'Joepie!' roept Iris en ze rent ernaartoe.
Meester Kees roept haar terug. 'We gaan eerst
langs de kant door het water naar het diepe bad

lopen,' zegt hij. 'Net zolang tot je de bodem niet meer voelt en dan zwem je een stukje.'

De kinderen doen hun kurkjes om en springen in het water. Met grote stappen loopt Iris langs de kant. Het water wordt steeds dieper. En als het tot haar kin komt, laat ze zich voorovervallen en begint te zwemmen.

Zodra Michiel een paar slagen in het diepe heeft gezwommen, grijpt hij de kant vast. Hij durft opeens niet meer zo goed.

'Michiel, doorzwemmen!' zegt meester Kees. 'Op je fiets stap je toch ook niet zomaar af?'

Michiel moet lachen. Stel je voor dat je op je fiets zomaar afstapt. Nee, dat doet hij niet. En lachend laat hij de kant los en zwemt door.

'Goed zo,' zegt meester Kees, als de kinderen weer op de kant staan. 'Nou mogen jullie om de beurt in het diepe springen.'

Iris plonst in het water. Vlug zwemt ze naar de kant, klimt uit het water en wil er weer inspringen.

Meester Kees houdt haar vast. 'Eerst moeten de anderen,' zegt hij.

Paul vindt het een beetje eng. Toch springt hij, omdat meester Kees de haak boven het water houdt.

Sanne durft pas te springen als meester Kees haar een hand geeft en samen met haar in het diepe plonst.

'Nou jij nog, Michiel,' zegt meester Kees.

Michiel schudt zijn hoofd. 'Ik durf niet,' zegt hij half huilend en hij blijft op de rand van het zwembad staan.

'Spring nou!' dringt Iris aan.

Michiel haalt zijn schouders op. Hij durft het echt niet.

'Zal ik je erin duwen?' vraagt Iris.

Maar dat mag niet van meester Kees. 'Niemand wordt hier in het water geduwd!' zegt hij streng. 'Michiel moet het zelf willen. En anders komt het de volgende keer wel, hoor, Michiel.' Hij aait Michiel even over zijn bol.

'Mag ik dan eerst van de hoge?' vraagt Iris.

'Ja,' zegt meester Kees, 'dat mag.'
Opgewonden klimt Iris de trap van de hoge
duikplank op. 'Hatsjiekiedee!' roept ze als ze
boven staat en dan springt ze en... plonsssss.
Zodra Iris met haar hoofd boven water komt,
hoort ze een keiharde brul.
'Hier ben ik! Mijn band was lek... ik moest helemaal lopen!' Het is Wouter.
'Ik ben van de hoge geweest!' roept Iris opschepperig.
'Dat wil ik ook!' roept Wouter en met twee
treden tegelijk rent hij de trap van de hoge
duikplank op. 'Hier komt de rode-apenbillenshow!' schreeuwt hij naar beneden, terwijl
hij zijn billen heel gek heen en weer beweegt.
Rode apenbillen? denkt Iris. Wouter heeft helemaal geen rode apenbillen! 'Je hebt je onder-
broek nog aan!' gilt Iris lachend.
Maar Wouter hoort haar al niet meer. Hij telt
tot drie en duikt naar beneden. Op het moment
dat hij in het water terechtkomt, schiet zijn on-
derbroek uit.
'Hellepie!' roept Wouter zodra hij bovenkomt.
'Mijn zwembroek is weg!' Met blote billen zwemt
hij naar de kant.
'Die zal wel op de bodem liggen,' zegt meester
Kees lachend.
'Nee, daar drijft-ie!' roept Michiel, die nog steeds
op de rand van het zwembad staat. 'Daar, achter
je!'
Wouter draait zich om. 'Waar?'
'Daar!' roept Michiel en hij buigt zich voorover

31

en wijst. 'Daar!' Nog verder buigt hij zich voorover, zo ver dat hij zijn evenwicht verliest. Hij
wankelt en... plonsss... Michiel is in het diepe
bad gekukeld.
Met een stralend gezicht komt hij weer boven.
Hij klimt uit het bad en springt weer in het
diepe. 'Niks aan!' roept hij stoer. Wel tien keer
achter elkaar springt Michiel in het diepe, net
zolang tot meester Kees de kinderen bij zich
roept.
'Luister goed,' zegt hij. 'Nu wil ik dat jullie een
hele baan achter elkaar op je buik zwemmen.
En denk erom, mooie kikkers maken en lange
armen!'
Om de beurt springen de kinderen in het water.

Achter elkaar zwemmen ze naar de overkant van het diepe bad.
'Iris, waar blijft mijn potlood?' vraagt meester Kees.
Gauw maakt Iris haar armen en haar benen lang.
'Met een mooie punt eraan, hè?' zegt meester Kees.
Alle kinderen strekken hun handen. Als ze bij de overkant zijn, zegt meester Kees dat ze nog een baantje moeten crawlen en dan mogen ze spelen.
Iris klimt het water uit. Ze wil de rode mat pakken.
'Nee, die niet, het vlot!' gilt Wouter. 'Dat is veel leuker.'
Hij grist de gele mat van de kant en smijt hem in het water. Met zijn zessen gaan ze op het vlot staan. Daar zinkt het vlot langzaam naar beneden.
'Hellepie!' gillen de kinderen en proestend van het lachen rollen ze in het water.
'Iris!'
Iris klimt net op het vlot.
'Iris, kijk dan!'
Het is Michiel die roept, dat hoort Iris duidelijk. Ze draait zich om, maar ze ziet hem niet.
'Hier, op de hoge!'
Iris kijkt en dan ziet ze Michiel op de hoge duikplank staan.
Iris zwaait naar Michiel. 'Spring dan!' roept ze.
Maar Michiel durft niet te springen. Eigenlijk

33

wilde hij alleen even zien hoe hoog het was. Hij
wil alweer teruggaan, maar er staat een hele rij
kinderen achter hem.
'Schiet nou op!' roepen ze ongeduldig.
'Wat moet dat schijtertje nou op de hoge duikplank!' roept een jongen.
Michiel schrikt. Schijtertje... Denken ze soms
dat hij een schijtertje is?
Michiel knijpt zijn neus dicht, springt en...
plonsssss... Hoestend en proestend komt hij boven water. Meteen kijkt hij naar mamma. Die

steekt haar duim omhoog. Zal hij nog een keer van de hoge gaan?

De zoemer gaat. Het is tijd. Alle kinderen rennen naar de douches.

'Zag je mij?' vraagt Michiel trots als mamma de kleedcabine binnenkomt.

'En mij?' vraagt Iris. Ze pakt haar handdoek en droogt zich af.

'Ik zag jullie allebei,' zegt mamma. 'Ik vond het maar knap, hoor.'

'Krijgen we dan patat, omdat we zo knap zijn?' vraagt Iris gauw.

'Goed,' zegt mamma.

'Mag Wouter dan ook mee?' vraagt Michiel.

'Anders moet hij helemaal naar huis lopen.'

'Lust Wouter wel patat?' vraagt mamma plagerig. Ze geeft Wouter een knipoog.

Met natte haren zitten Iris, Michiel en Wouter samen met mamma in de snackbar.

'Ik neem patat met mayonaise,' zegt Michiel.

'Ik ook!' zegt Iris.

'Ik wil met ketchup,' zegt Wouter. 'Goed voor mijn rode apenbillen!'

Logeren bij opa en oma

Het is vakantie. Iris en Michiel logeren een paar dagen bij opa en oma.
'Vertel eens,' zegt opa als ze 's morgens aan het ontbijt zitten, 'hoe gaat het eigenlijk met jullie zwemles?'
'Hartstikke goed,' zegt Iris. 'We zwemmen al in het diepe.'
'Zo zo,' zegt opa. 'Dat gaat goed.'
'Moest jij ook onder water zwemmen voor je diploma, opa?' vraagt Iris.
'Nee hoor,' zegt opa. 'En een diploma kregen we ook niet.'
'Kun je dan niet zwemmen?' vraagt Iris.
'Ik zwem als een vis,' zegt opa. 'Weten jullie hoe ik vroeger heb leren zwemmen? Niet in een zwembad, hoor, dat was veel te ver weg. Nee, in het kanaal. Dan stapte mijn vader in zijn roeibootje. En als hij het touw aan zijn bootje vastmaakte, wist ik het wel. Ik moest het touw om mijn middel knopen en in het water springen. Zo kreeg ik zwemles. Mijn vader roeide een stukje over het kanaal en ik moest er achteraan zwemmen, aan dat touw.'
'Hoe wist je dan hoe je moest zwemmen?' vraagt Michiel.
'Dat vertelde mijn vader,' zegt opa lachend. 'Die zat prinsheerlijk in zijn bootje te roepen hoe ik moest zwemmen.'

Stomverbaasd kijken Iris en Michiel naar opa.
'En jij, oma?' vraagt Iris. 'Hoe heb jij het geleerd?'
'Ik ging wel naar een zwembad,' zegt oma. 'Nou
ja, zwembad... Ze hadden een stuk water afgezet
in het kanaal. En dat noemden ze het zwembad.
Daar kreeg je een riem om je middel.'
'Hield de badmeester die vast?' vraagt Iris.
'Welnee,' zegt oma. 'Mijn moeder stond op de
kant en die moest die riem vasthouden. En dat
was eng... Want als de riem nat werd, glipte hij
uit mijn moeders hand en dan zonk ik.'
Met verschrikte gezichten kijken Iris en Michiel
naar oma.
'Ja,' zegt oma, 'en als ik boven kwam, greep mijn
moeder me gauw vast. Dat was eng, hoor. Brrr...'
'Was het geen vies water?' vraagt Michiel.
'Hartstikke,' zegt oma. 'Als je eruit kwam, had
je een baard. Dan was je kin roetzwart omdat
je daarmee in het water had gelegen.'
'Gatsie!' roepen Iris en Michiel uit.

'Ja,' zegt oma, 'en dat was nog niet het ergste.
Als er boten door het kanaal voeren, dát was
pas vies! Dan dreef alle rommel die in het kanaal lag naar de kant en zwom je opeens tussen
de drollen.'
'Jasses!' roepen Iris en Michiel tegelijk en ze
beginnen keihard te lachen.
'Lachen jullie maar,' zegt oma. 'Het was me wat,
hoor! En koud! Het water was ijskoud.'
'In ons zwembad is het water juist hartstikke
lekker warm,' zegt Michiel.
'Ik zou weleens willen zien hoe zo'n zwembad
er tegenwoordig uitziet,' zegt opa.
'Joepie!' juichen Iris en Michiel. 'We gaan
zwemmen!' En ze hollen naar boven om hun
zwemspullen te halen.
Lachend kijken opa en oma elkaar aan.

Met hun badtas in hun hand huppelen Iris en
Michiel naast opa en oma naar het zwembad.

'Ik laat jullie meteen aan meester Kees zien,'
zegt Michiel blij.
'Hoe kan dat nou, koekepeer!' zegt Iris. 'We
logeren nou toch bij opa en oma! Die hebben
een heel ander zwembad!'
Michiel schrikt. Daar heeft hij nog niet aan ge-
dacht.
Opeens heeft hij geen zin meer om te zwemmen.
Hij weet niet of hij wel in dat vreemde zwembad
van opa en oma durft, zonder meester Kees er-
bij. Misschien is het diepe bad veel dieper dan
dat van hen...
Stilletjes sloft hij de kleedcabine binnen. Iris
begint zich meteen te verkleden, maar Michiel
sluipt naar de deur die naar het zwembad gaat.
Daar gluurt hij om de hoek van de deur.
'Iris, een waterglijbaan!' roept hij verrast. Vliegensvlug smijt hij zijn kleren op de bank en twee
tellen later rent hij achter Iris aan naar de douches.

Zodra opa onder de douche vandaan komt, loopt
hij regelrecht naar het diepe bad.
'Zou je dat nou wel doen?' vraagt oma bezorgd.
'Je hebt in geen tijden meer gezwommen. Ik ga
eerst in het ondiepe, hoor!'
'Wat een onzin,' zegt opa. 'Zwemmen is toch
zeker net zoiets als fietsen, dat verleer je ook
niet!' Opa gaat op de rand van het zwembad
staan en hij duikt het water in.
Vol bewondering zien Iris en Michiel hoe opa
onder water zwemt. In het midden van het bad

komt hij pas weer boven water.
'Opa!' roept Iris. 'Wil je ons ook leren duiken?'
'Natuurlijk,' zegt opa. Hij zwemt naar het trapje.
'Zo mag je niet uit het water,' zegt Iris. 'Je moet
op de kant klimmen.'
Opa probeert het, maar het lukt hem niet. La-
chend klimt hij het trapje op. 'En nou gaan we
duiken!'
Maar Michiel wil niet leren duiken, die rent
naar de waterglijbaan.
Iris gaat naast opa op de rand van het zwembad
staan.
'Is duiken moeilijk, opa?' vraagt ze.
'Welnee,' zegt opa. 'Let goed op!' Hij zet zijn
tenen over de rand van het zwembad, doet zijn
armen naar voren, zakt door zijn knieën en laat
zich langzaam voorover in het water vallen.
'Nou jij,' zegt opa als hij boven komt.
Iris klemt haar tenen over de rand van het
zwembad. Haar armen buigt ze naar voren,
langs haar oren, precies zoals opa het deed. Dan
zakt ze door haar knieën en... mis. In plaats van

te duiken, klapt ze keihard op haar buik in het water. Wat een naar gevoel is dat! Teleurgesteld komt ze weer boven.

'Ik kan het niet!' zegt ze half huilend.

'Natuurlijk wel!' zegt opa. 'Het lukt ook niet meteen. Je moet wel honderd keer oefenen en dan gaat het opeens goed.'

Iris probeert het nog een keer. En nog een keer. En nog een keer. Wel twintig keer achter elkaar klapt ze op haar buik in het water. En dan...

Het is gelukt! Met een stralend gezicht komt ze boven water. 'Michiel, ik heb gedoken!' roept ze naar de waterglijbaan.

'Laat dan eens zien!' schreeuwt Michiel terug.

Opgewonden klimt Iris het water uit. Ze gaat op de rand van het zwembad staan. Ene... tweeë...

Daar duikt Iris het water in. Als ze boven komt, begint Michiel heel hard te klappen.

'Durf je ook naar de bodem te duiken?' vraagt hij.

'Makkie!' zegt Iris. 'Alleen doe ik het niet. Want nou wil ik glijden!'

'Joepie!' juicht Michiel. 'Dan gaan we met zijn allen achter elkaar!'

Hij wenkt dat opa en oma naar de waterglijbaan moeten komen. Even later klimmen ze achter elkaar de trap op. Als ze boven zijn, gaat oma zitten. Daarachter gaat Michiel zitten. Dan Iris en helemaal achteraan zit opa.

'Hou je goed vast, daar gaan we!' zegt oma.

Oma zet zich af en... daar glibberen ze naar beneden. Onderweg begint opa luidkeels te zingen.

En met een plons duiken ze om beurten het
water in. Gierend van de lach komen ze boven.
'Nog een keer!' zegt Michiel.
'Goed,' zegt oma. 'En daarna gaan we een paar
baantjes zwemmen.'

Wat kunnen Iris en Michiel het al goed! Ze
zwemmen een hele baan achter elkaar zonder te
stoppen. Maar opa en oma zwemmen nog als Iris
en Michiel al aan de kant staan uit te puffen.
Na drie banen houdt opa er ook mee op. Maar
oma zwemt nog steeds.
Met grote ogen kijken Iris en Michiel naar oma,
die al aan haar zesde baan begint.
'Nou hou ik er ook mee op, hoor,' zegt oma, als
ze weer bij Iris, Michiel en opa is.
'Je bent kampioen, oma,' zegt Michiel. 'Je hebt
zes banen gezwommen. Je hebt het dus toch
wel goed geleerd aan die gladde riem.'
'Ja,' zegt Iris. 'En tussen die drollen!'
En dan moeten ze allevier lachen.

Watertrappen op de kast

Iris is ziek. Ze heeft de hele nacht gehoest en
haar keel doet ook zeer. Daarom moet ze van
mamma in bed blijven.
'Dat kan niet,' zegt Iris. 'Ik moet naar zwemles!'
En ze wil uit bed klimmen. Maar dat mag niet
van mamma.
'Je bent heel warm, je hebt koorts,' zegt mamma.
'Mag ik vrijdag dan wel weer naar zwemles?'
vraagt Iris.
'Dat weet ik niet, schat,' zegt mamma. 'Vanmid-

dag komt de dokter. Dan kun je het hem zelf vragen.'

'Nou zeg,' begint Iris te mopperen, 'als ik vrijdag nog niet mag, dan... dan...' Met een ruk trekt ze het dekbed over haar gezicht en begint zachtjes te snikken.

'Toe nou, lieverdje,' zegt mamma, 'daar hoef je toch niet zo verdrietig om te zijn. Weet je wat, als je weer helemaal beter bent gaan we met zijn allen zwemmen, goed?'

'Goed dan,' pruttelt Iris. Langzaam komt ze onder het dekbed vandaan.

Mamma pakt een voorleesboek. De halve ochtend leest ze Iris voor, net zolang tot die in slaap valt. Ze wordt pas wakker als ze mamma hoort zeggen: 'Iris, ik ga Michiel even naar zwemles brengen, hoor. Ik ben zo terug.'

Zodra Michiel van zwemles komt, stormt hij het kamertje van Iris binnen. 'Iris, weet je wat we geleerd hebben?' roept hij.

'Kan mij wat schelen,' zegt Iris en ze trekt het dekbed over haar gezicht.

'Nou, zeg!' Een beetje boos blijft Michiel in de deuropening staan. Maar dan hoort hij zacht gesnik onder het dekbed uit komen.

Michiel loopt naar het bed van Iris. 'Waarom huil je?' vraagt hij.

'Hoef je heus niet te weten,' snikt Iris. 'Jij moest toch zo nodig zwemmen? Hoepel dan nou ook maar op.'

'Ik kan er toch niks aan doen dat jij ziek bent,'

zegt Michiel zachtjes. En hij gaat op de rand van
Iris' bed zitten.
'Ga weg!' schreeuwt Iris.
'Ook goed,' zegt Michiel. 'Dan leer ik je niet hoe
je moet watertrappen.'
Dat helpt. Met een ruk slaat Iris het dekbed
weg. 'Wat, watertrappen?' vraagt ze.
'We hebben gewatertrapt,' zegt Michiel. 'Dat is
leuk, joh. Weet je hoe het gaat?' Zonder op ant-
woord te wachten gaat hij op de grond liggen. 'Je
moet met je voeten trappelen,' zegt hij.
'En wat doe je dan met je armen?' vraagt Iris.
'Deze twee vingers moet je boven water houden,'
zegt Michiel. 'Heel lang moet het. Wel duizend
tellen of honderd.'
Meteen zit Iris rechtop in bed. 'Dat wil ik ook leren,' zegt ze.
'Goed,' zegt Michiel. 'Dan doen we dat jouw bed
het zwembad is. En onder je dekbed is het water.'

Iris kruipt onder haar dekbed. Ze gaat languit op haar rug liggen. Haar wijsvinger steekt ze boven het dekbed uit en dan begint ze met haar voeten te trappelen.

Poes Saartje schudt ervan heen en weer. Ze wordt wakker. Ze gaat plat op haar buik liggen en loert naar de bobbels onder het dekbed. Die bewegen... Ze loert en loert en dan... springt ze van de ene bobbel op de andere en begint ermee te spelen.

'Saartje, hou op!' roept Iris. 'Je kietelt. Zo kan ik nooit watertrappen...'

Maar Saartje houdt niet op. Ze vindt het juist zo'n leuk spelletje.

'Wacht maar,' zegt Michiel. Hij pakt Saartje op en zet haar op de gang. 'Poezen hoeven niet te leren watertrappen,' zegt hij en hij doet de deur dicht.

Intussen ligt Iris keihard te trappelen. Het dekbed glijdt van het bed, zo hard trapt ze. Opeens houdt ze op.
'Je moet doorgaan,' zegt Michiel. 'Anders heb je het niet gehaald, hoor.'
'Ik kan niet meer...' Iris puft. Ze veegt met de mouw van haar pyjamajasje de zweetdruppeltjes van haar voorhoofd. 'Ik heb het zo heet,' zegt ze. 'Dat komt door die pyjama. Ik moet mijn badpak aantrekken. Dan gaat het veel beter.' Ze springt uit bed, pakt haar badpak uit de kast en trekt het aan.
'Eigenlijk moet je in het water springen,' zegt Michiel. 'Anders telt het niet.'
'Zal ik op de stoel gaan staan?' vraagt Iris.
'Nee,' zegt Michiel. 'Dat is toch veel te laag.' Hij kijkt het kamertje rond. 'Je moet op de kast gaan staan,' zegt hij, 'en dan spring je zo op je bed.'
Iris klimt op de kast.
'Wacht even! Je dekbed is het water. Dat lijkt veel echter.' En Michiel raapt het dekbed van de grond en legt het netjes op Iris' bed. 'Als ik drie zeg, moet je springen,' zegt hij. 'Een, twee...'
Net als Michiel drie wil zeggen, gaat de deur van het kamertje open. En voordat Iris iets in de gaten heeft, komen mamma en de dokter binnen.

47

'Wat is dit nou?' roept mamma verschrikt uit.
'Waar is Iris?'
Michiel wordt rood.
'Nou?' zegt mamma. 'Je kunt toch wel praten,
Michiel?'
Maar dan ziet de dokter Iris in haar badpak bo-
ven op de kast staan. 'Zozo...' zegt hij, 'dus daar
is de zieke. Dat ziet er heel ernstig uit. In haar
badpak en dan op de kast...' Hij krabt zich op het
hoofd en zegt: 'Dat kan niks anders zijn dan de
badpakkasteritis.'
Michiel schiet in de lach.
'Pas maar op, Michiel,' zegt de dokter. 'De bad-

48

pakkasteritis is een zeer besmettelijke ziekte. Zo meteen zit jij ook op de kast in je zwembroek. En mamma en pappa. Ik denk dat ik dit kind maar naar het ziekenhuis moet laten brengen.' En hij wil Iris van de kast tillen.

'Nee,' lacht Iris. 'Ik heb helemaal geen badpakkastedinges. Ik ben aan het watertrappen. Kijk maar. Ene... tweeë... hoppelekeë!' Iris springt naar beneden en begint in haar bed te watertrappen.

'Ik heb het al gezien,' zegt de dokter. 'Die is weer een heel stuk beter. Nog een paar dagen binnen blijven, Iris, en dan mag je weer naar school.' En hij geeft Iris een hand.

'Dokter,' zegt Iris. 'Mag ik vrijdag weer naar zwemles?'

De dokter kijkt haar aan en zegt: 'Laten we dat maar doen. Watertrappen in bed, dat gaat nog. Maar stel je voor dat je van de hoge moet leren duiken...' Hij geeft Iris een aai over haar bol. En dan loopt hij lachend de deur uit.

Naar de afzwemploeg

Luid zingend met haar badtas in haar hand
huppelt Iris de kleedcabines binnen.
'Zwemmen zwemmen spetter de spat...'
Met een chagrijnig gezicht sloft Michiel achter
haar aan. 'Van dat liedje word ik ook nog eens
gek,' moppert hij.
'Alleen omdat je denkt dat jij niet naar de afzwemploeg mag,' zegt Iris.
Michiel haalt de schouders op.
'Je moet ook niet steeds stoppen, je moet doorzwemmen, oliebol,' zegt Iris.
Met veel kabaal wordt de deur van de kleedcabine opengesmeten. Wouter komt met zijn handdoek over zijn hoofd binnen en zingt:

'Zwemmen zwemmen spetter de spat
Kijk Michiel zijn dikke gat
Daar plonst-ie mee in het afzwembad...'

Iris moet lachen. Maar Michiel bromt boos: 'Hou
op met dat stomme liedje. Je bent heus niet
leuk, hoor, als je dat soms dacht.'
'Vandaag mogen we naar de afzwemploeg, hoor!'
zegt Wouter.
'Jij misschien,' pruttelt Michiel, 'maar ik niet.
Omdat ik rugzwemmen rottig vind.'
'Rugzwemmen is juist heerlijk!' roept Wouter
uit. 'Kun je lekker uitrusten.'

'Je weet nooit of je al bij de kant bent,' zegt Michiel. 'Je kunt niks zien.'
'Nou, en?' zegt Wouter. 'Gewoon doorknorren. Als je er bent, voel je het vanzelf wel.'
'Ja, lekker,' zegt Michiel. 'En dan zeker je hoofd tegen die stenen muur stoten. Dat doet hartstikke zeer.'
'Helemaal niet!' zegt Wouter. 'De muur geeft een lekker zoentje op je meloenenkop en dan draai je om.'
'Toch vind ik het rottig,' houdt Michiel vol.
'Nou, dan blijf jij lekker bij die kleine kakzakkies huppeldepuppelen!' roept Wouter stoer en hij holt naar de douches.

'Ik zie het rode zeil al!' roept Iris als ze bij het diepe komen. 'Ik wil door het gat zwemmen.' En ze staat al op de kant. Sanne en Pieter doen een stap naar achteren.
'Jullie hoeven niet bang te zijn,' zegt meester Kees. 'We hebben dit al heel vaak geoefend in het ondiepe. Het is precies hetzelfde, alleen kun je nu niet staan.'
'Mag ik het voordoen?' En Wouter springt het water in. Ze zien hoe hij onder water naar het rode zeil zwemt. Vol spanning kijken ze naar Wouter, maar vlak voor het gat komt hij boven.
'Ik heb het gat gezien!' roept hij trots.
'Ja,' lacht meester Kees. 'Maar je moet er niet alleen naar kijken. Je moet erdoorheen zwemmen.'
Wouter klimt op de kant. Opnieuw springt hij in

51

het water. Hij zwemt naar het gat en gaat erdoorheen. 'Niks aan!' roept hij als hij aan de andere kant van het zeil bovenkomt.
Iris en Michiel kunnen het ook, maar de anderen vinden het nog een beetje eng.
'Luister goed,' zegt meester Kees terwijl hij het
zeil weghaalt. 'Straks springen jullie erin en dan
zwem je twee banen op je buik. En denk erom,
lange armen en twee tellen uitdrijven.'
Om de beurt springen de
kinderen in het diepe
bad.

Achter elkaar zwemmen ze naar de overkant.
Iris springt als laatste in het water, maar omdat
ze zo snel zwemt, zit ze vlak achter Sanne.
Steeds krijgt ze de benen van Sanne in haar gezicht.
Pfff, wat zwemt die langzaam, denkt Iris. Daar
blijf ik niet achter, hoor! en ze duwt Sanne opzij
en schiet erlangs.
Sanne gaat kopje-onder. Maar niet alleen Sanne
wordt opzij geduwd, ook Paul en Mieke.

Als de kinderen op de kant zijn geklauterd, vraagt meester Kees: 'Iris, als jij nou op de fiets zit en voor je fietst iemand heel langzaam, bots je daar dan tegenop?'

Iris schiet in de lach. 'Tuurlijk niet,' zegt ze, 'dan valt hij toch om!'

'Maar als je nou haast hebt,' zegt meester Kees. 'Wat doe je dan?'

'Gewoon,' zegt Iris. 'Dan ga ik erlangs.'

'Echt waar?' roept meester Kees verbaasd uit.

'Ja,' zegt Iris. 'Wat is daar nou zo gek aan?'

'En als je in het water zwemt, bots je wel tegen iedereen op als je erdoor wilt,' zegt meester Kees. 'Dan moet je er ook langs zwemmen, snap je dat?'

Iris wordt rood. Ze schaamt zich een beetje.

'Nou, ouwe botswagen van me,' zegt meester Kees. 'Ga nou maar gauw twee banen rugzwemmen, en denk erom, zonder te botsen.' Hij pakt Iris op en houdt haar boven het water.

'Ja, je moet me erin gooien!' roept Iris.

'Ene, tweeë...' En daar zwiert meester Kees Iris met een zwiepzwaai in het water. Lachend komt ze boven.

'Dat wil ik ook!' roept Wouter. 'Mij moet je er ook ingooien.'

'Kom maar op, jij!' zegt meester Kees en hij zwiert Wouter er ook in.

De andere kinderen durven dat niet. Die springen er liever zelf in.

Terwijl Iris haar buik hoog boven het water houdt, maakt ze met haar benen mooie kikkers.

Heerlijk op haar rug fluit ze een liedje. Wouter
hoor je ook vrolijk zingen.
Michiel hoor je niet, die vindt het maar niks. Telkens stopt hij om te kijken hoe ver hij nog moet.
En als hij eindelijk bij de overkant is beland,
blijft hij een hele tijd aan de kant hangen voordat hij terugzwemt.
Als ze allemaal weer op de kant staan, zegt
meester Kees: 'Iris en Wouter mogen de volgende keer naar de afzwemploeg. Michiel zou ook
gemakkelijk kunnen, maar die stopt telkens. En
de rest moet nog een tijdje bij mij blijven. Totdat
ze door het gat durven zwemmen.'
Een beetje jaloers kijkt Michiel naar Wouter en
Iris. Alleen door dat stomme rugzwemmen, anders had ik ook gemogen, denkt hij.
Terwijl meester Kees Iris en Wouter uitlegt
waar ze de volgende les heen moeten, springt
Michiel in het water. Zodra hij bovenkomt,
draait hij zich op zijn rug en begint te zwemmen.
'Nou zwem ik door tot ik de kant voel,' zegt hij
tegen zichzelf.
Michiel heeft het zo druk met te zorgen dat hij
toch niet stiekem omkijkt, dat hij helemaal vergeet de strepen op het plafond in de gaten te

54

houden. Daardoor zwemt hij steeds schuiner.
'Wat zijn die banen lang als je niet kijkt,' puft
Michiel. Toch zwemt hij door, dwars door het die-
pe bad.
'Moet je Michiel zien!' roept Iris en ze wijst naar
de andere kant van het diepe bad.
Meester Kees heeft het allang gezien. 'Dat zijn
wel drie banen,' zegt hij lachend.
Als Michiel eindelijk de kant voelt, kijkt hij ver-

baasd om zich heen. Waar is hij nou helemaal
heen gezwommen?
Meester Kees steekt zijn duim omhoog. 'Je hebt
een heel eind op je rug gezwommen, Michiel,
zonder te kijken!' roept hij.

'Mag Michiel nou ook naar de afzwemploeg?' vraagt Iris.

'Ja,' zegt meester Kees. 'Als hij belooft dat hij het in het vervolg zo doet en niet meer omkijkt, mag het.'

'Hoera!' juichen Iris, Michiel en Wouter en met de armen om elkaar heen dansen ze langs de rand van het zwembad.

'Luister eens, Michiel,' zegt meester Kees, 'de volgende les ga jij ook naar die badjuffrouw.' En hij wijst naar de overkant.

'Ben jij dan nooit meer onze meester?' vraagt Michiel.

'Nee,' zegt meester Kees. 'In de afzwemploeg krijgen jullie les van juffrouw Hanneke.'

En als hij de beteuterde gezichten van de kinderen ziet, zegt hij gauw: 'Omdat dit de laatste les is, mogen jullie mij straks als het speeltijd is in het water duwen.'

'Jaaaa!' roepen de kinderen opgewonden. 'Ga je dan ook met ons meespelen?' vraagt Iris.

'Ja,' zegt meester Kees. 'Maar eerst gaan we nog even watertrappen. En denk erom, armen op het water leggen als je een rondje draait.'

Alle kinderen gaan op de rand van het zwembad staan.

Als meester Kees op zijn fluit blaast, springt iedereen in het water. En als de kinderen boven komen, beginnen ze te watertrappen.

Zodra meester Kees zegt dat het speeltijd is, stormen Wouter en Iris op hem af. Allebei pakken ze een hand van meester Kees en dan sleu-

ren ze hem naar de rand van het zwembad.
'Kom op nou, Michiel!' roept Iris. 'Meester Kees
moet in het water!'
Eerst durft Michiel het niet goed, maar als de
andere kinderen meester Kees beginnen te
duwen, durft hij wel. Met zijn allen gaan ze net
zolang door tot hij in het water valt. 'Hoera!'
juichen de kinderen.
Lachend klimt meester Kees uit het water. Hij
pakt het vlot en gooit dit in het diepe bad.
In een wip zitten alle kinderen bij meester Kees
op het vlot. De hele speeltijd spelen ze met hun
badmeester in het water, tot de zoemer gaat.

En dan, het diploma!

Iris en Michiel hebben er bijna niet van kunnen slapen. Eindelijk is het zo ver: vandaag gaan ze afzwemmen.

Met propvolle badtassen stormen ze de kleedcabine binnen. Want nu zitten er niet alleen zwemspullen in hun badtas, maar ook kleren om in te zwemmen. Dat moet voor het diploma, dan moet je één baan met kleren aan zwemmen.

Opgewonden kieperen de kinderen hun badtas leeg. In een wip hebben Wouter en Iris zich omgekleed.

Michiel niet. Die krijgt met zijn bibberhanden zijn knoopjes niet los. En als hij er eindelijk een los heeft, moet hij weer een plas doen. Gelukkig helpt Iris hem en is hij nog net op tijd klaar om onder de douche te gaan.

Met grote ogen kijken de kinderen het zwembad rond. Het lijkt helemaal niet meer op hun eigen bad. Boven het water hangen allemaal vlaggetjes. En tegen de muur waar anders het vlot hangt, staan stoelen. Daarop zitten vaders, moe-

ders, opa's en oma's, ooms, tantes, broertjes en zusjes met grote bossen bloemen in hun hand. Zelfs meester Kees ziet er anders uit. In plaats van zijn zwembroek heeft hij een spiksplinternieuwe korte broek aan met een streepjesoverhemd erboven.

'Wie is dat daar?' vraagt Wouter. Met grote schrikogen wijst hij naar een mevrouw met een heel streng gezicht die op de rand van het zwembad staat. Ze heeft een microfoon in haar hand.

'Dat is de baas van de diploma's,' fluistert Iris.

'Echt waar?' vraagt Wouter. 'Nou, ik kijk niet naar dat strenge gezicht, hoor, als ik zwem. Anders zink ik nog van schrik.'

'Pas op dat je niet stiekem achterom gluurt als je rugzwemt, hoor,' fluistert Iris tegen Michiel. 'Die strenge ogen zien vast alles.'

'Tuurlijk niet,' zegt Michiel. 'Als jij dan ook maar niet tegen iemand opbotst! Kijk, daar heb je opa en oma!' roept hij dan blij. En hij begint uitbundig te zwaaien.

'En juf!' roept Iris verrast.

'Waar?' vraagt Michiel.

'Daar zit ze,' zegt Iris. 'Juf! Juf!' roept ze dan keihard.

Juf gaat staan. Ze zwaait naar Iris en Michiel.

'Zet hem op, hoor!' roept ze.

Iris en Michiel zwaaien terug.

'Zie je opa Vink?' vraagt Michiel. 'Hij heeft expres zijn zondagse pak aangetrokken.'

'En mijn oma heeft haar zondagse hoedje op,' zegt Wouter. 'Oma!' roept hij en hij zwaait naar een dame met een hoedje op en een fototoestel in haar hand.

De kinderen zwaaien en roepen net zolang naar hun familie en alle andere bekenden tot de mevrouw met het strenge gezicht door de microfoon begint te praten. Ze vertelt de vaders en moeders wat er precies gebeuren gaat.

De kinderen weten dat allang.

Om de beurt plonzen de kinderen met kleren aan in het water. Zodra ze boven komen, beginnen ze te watertrappen en daarna zwemmen ze door. Als Wouter langs de strenge mevrouw komt, draait hij gauw zijn hoofd de andere kant op.

Iris niet. Die wil de vrouw juist laten zien hoe goed ze kan zwemmen. Ze vergeet bijna onder de lijn

door te gaan. Straks moeten ze uit het water klimmen. Dat is heel zwaar met die natte kleren.
De oma van Wouter staat aan het eind van het bad klaar om een foto van Wouter te maken. Ze tuurt door de lens.
Wat jammer, denkt ze, zo krijg ik hem er nooit goed op.
Voorzichtig buigt ze haar hoofd naar beneden.
Oma vergeet helemaal dat ze haar zondagse hoedje op heeft. Ze buigt haar hoofd steeds dieper en dan... kukelt haar zondagse hoedje in het water.
'Help! Mijn hoedje!' schreeuwt Wouters oma.
'Oooooo...' roepen de mensen. Sommigen beginnen te lachen.
'Wacht maar, oma!' roept Wouter. Hij neemt een

hap lucht en duikt onder water. En als hij boven komt, zit het zondagse hoedje van zijn oma op zijn hoofd.
Vlug maakt Wouters oma een foto. Onder luid applaus komt Wouter met het hoedje van zijn oma op zijn hoofd het water uit.

Je kunt wel merken dat ze goed hebben geoefend. Het lukt hen om door het gat in het zeil te zwemmen.

Iris gaat zo hard dat ze op Michiel moet wachten.
'Tringelingelinggg!' roept ze en ze zwemt Michiel voorbij. Niet alleen bij Michiel doet ze dat, telkens als ze een kind voorbijzwemt, tringelt ze. De mensen die op de stoelen langs de rand van

het bad zitten, beginnen te lachen. Ook de mevrouw met het strenge gezicht schiet in de lach. Verwonderd kijkt ze naar meester Kees.

Maar als meester Kees de mevrouw vertelt dat hij Iris heeft geleerd net als bij fietsen keurig langs iemand te zwemmen, begrijpt ze het getringel opeens. En als Iris naar de mevrouw kijkt, knikt die tevreden naar haar.

Nu zwemmen ze op hun rug. Michiel heeft nog niet één keer stiekem achterom gegluurd.

Ik zwem net zolang door tot ik de kant voel, denkt Michiel. Kan die strenge mevrouw tenminste zien dat ik niet omkijk.

Met krachtige slagen slagen schiet hij achteruit. Ook als hij bijna bij de kant is. O jee, Michiel schiet achteruit en... bonkt keihard met zijn hoofd tegen de stenen muur.

'Ooooo...' roepen de mensen die aan de kant zitten. Geschrokken kijken ze naar Michiel.

Ook de mevrouw met het strenge gezicht kijkt bezorgd.

Au! denkt Michiel. Als Wouter dit soms een lekker zoentje op mijn meloenenkop noemt... In zijn ogen staan tranen, zo'n pijn doet het. Maar Michiel laat niets merken. Hij draait zich om en zwemt terug.

Iedereen begint te klappen en de vrouw met het strenge gezicht klapt het hardst.

Gelukkig gaat het drijven ook goed. Meester Kees is heel trots op zijn leerlingen. Zelfs het crawlen lukt alle kinderen.

Na het watertrappen is het afzwemmen voorbij. Trots houden Iris en Michiel hun diploma in de lucht. En als alle vaders, moeders, opa's en oma's, ooms en tantes en natuurlijk juf de diploma's hebben bewonderd, krijgt meester Kees van alle kinderen een cadeautje.

Van Wouter krijgt hij een tekening van een aap met knalrode billen. En van Iris en Michiel een slagroomtaart met een kikker en een potlood van marsepein erop.

'Nou heb ik ook nog wat voor jullie,' zegt meester Kees. 'Want jullie hebben nu wel het A-diploma gehaald, maar dat is nog maar een begin. Wie A zegt, moet ook B en C zeggen. Daarom geef ik jullie allemaal een inschrijfformulier voor het B-diploma mee naar huis.'

'Joepie!' juichen de kinderen.

Met het inschrijfformulier in hun hand hollen Iris en Michiel naar hun vader en moeder. Want onder een vlot door leren zwemmen, dat lijkt hun helemaal spannend.